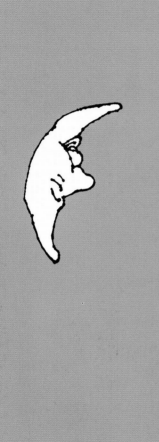

© 1991, l'école des loisirs, Paris
Première édition dans la collection
« Petite bibliothèque de l'école des loisirs » : février 2003
Loi numéro 49 956 du 16 juillet 1949 sur les publications
destinées à la jeunesse : mars 1991
Dépôt légal : mars 2006
Imprimé en Italie par Editoriale Lloyd à Trieste

… Et boum ! fait le seau.
Et ouille ! fait le loup.

Plouf! fait le loup en tombant dans l'eau.
Ouf! font les lapins en arrivant là-haut…

RATÉ!

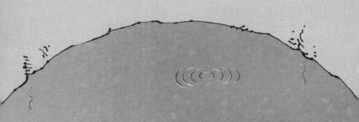

Ça y est!
Les lapins remontent.
Le loup essaie
d'en attraper un au passage
mais, trop pressé,
il descend trop vite.
Beaucoup plus vite
qu'il ne le voudrait.

« Non, il n'y a pas de fromage, mais il y a plein de lapins à manger », répond finement le père lapin. « Tu n'aimes plus ça ? »
« Mais si, mais si ! » s'esclaffe le loup qui, oubliant toute prudence, saisit la corde et se jette dans le puits.

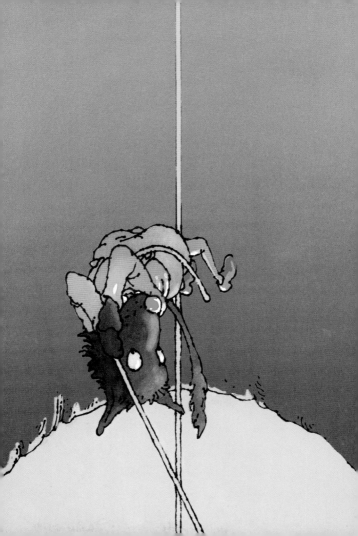

« Tarata ! C'est ça… C'est ça… et je parie qu'il y a un gros fromage, hein ? » rétorque le loup, qui n'en peut plus tellement il rit.

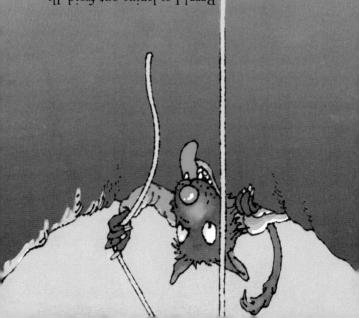

Brr ! Les lapins ont froid. Ils claquent des dents, et pas une seule carotte évidemment. Ils remontent, mais pas très, très haut.

Ah ! Des pas.

Brr ! C'est un loup. Le loup du début, celui qui avait très, très faim.

« Hi, hi ! Qu'est-ce que vous faites là ? » ricane le loup.

« Oh, là, là ! Tu ne peux pas savoir comme on est bien, ici... »

Hop !
Les lapins descendent.
Et hop !
Le cochon remonte.
« Bon appétit ! » dit le
cochon.
« Et attention
à l'indigestion. »

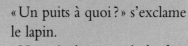

«Un puits à quoi?» s'exclame
le lapin.
«Un puits à carottes!» hurle
le cochon.
«Comment descend-on?»
«Pour descendre dans un puits
à carottes, monsieur le lapin,
on prend le seau», s'énerve
le cochon.

C'est un lapin. Une famille de lapins.

«Ah, ça! Mais qu'est-ce que
tu fais là?» demande le père lapin.

«Eh! Je suis bien, ici. Je me baigne,
je nage, je plonge … Je m'amuse
beaucoup, mais je m'en vais car,
comme dans tous les puits à carottes,
il y fait trop chaud … »

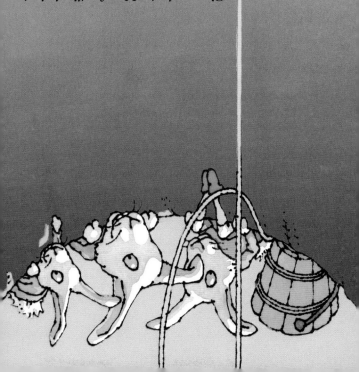

Il a froid, et il est furieux. Comment remonter ?
Le temps passe. Il a de plus en plus froid
et il est de plus en plus furieux.
Le loup a disparu, la lune aussi. Il fait presque jour.
Ah ! Du bruit.

«Ah! Le cochon!» dit le cochon qui s'aperçoit
que le loup lui a menti. L'énorme fromage n'était que
le reflet de la lune.

Non ! Le cochon, gras comme un cochon,
descend trop vite.
Raté !

Et hop! Le loup remonte.
Il va pouvoir attraper le cochon…

Hop! Le cochon descend.

C'est un cochon.
« Qu'est-ce que tu fais là ? » s'étonne le cochon.
« Eh ! Je suis bien, ici. Il fait frais et tout et tout, et il y a
un gros fromage. Tu peux venir, si tu veux… »
« Oui, mais comment je descends ? »
« Tu t'accroches à la corde », dit le loup.

Il s'aperçoit alors que le froma…
Patatras ! Voilà le seau !

… Il s'aperçoit donc que le fromage n'était
que le reflet de la lune.
Il est furieux, il est trempé, il a froid, et il ne sait pas
comment remonter.
Ah ! Du bruit. Là-haut quelqu'un s'approche.

Il se penche pour l'attraper.
Il se penche, il se penche et plouf!
Il tombe dans l'eau.

Voilà, c'est l'histoire d'un loup qui a très faim,
mais alors très, très faim.
Un soir, au fond d'un puits, il voit un fromage.

Philippe Corentin

PLOUF!

Petite bibliothèque de l'école des loisirs
11, rue de Sèvres, Paris 6e

prout!